COLLECTION
Graines de Tilleul

DANS LE CALME
IN THE QUIET

EVELYNE MOINET
Mise en page Bernard Tisserand
Traduction Jill Culiner

Éditions du
Tilleul

Quand
je m'allonge
dans le calme

*When I lie down
in the quiet*

J'écoute le bol chantant
I listen to the singing bowl

longtemps
longtemps
longtemps

listen
listen
listen

Je flotte comme une algue de la mer

I float like seaweed in the Ocean

souple souple souple

gently gently gently

Je vole comme
une graine de pissenlit

I drift like a dandelion seed

légère   légère   légère

lightly   lightly   lightly

*Je sens la caresse
d'une plume*
I feel the caress of a feather

douce douce douce
soft Soft soft

Je suis comme la lune
à travers le ciel
I'm like the moon in the sky

libre libre libre
free free free

Je m'épanouis comme une fleur
I bloom like a flower

au soleil au soleil au soleil
in the sun in the sun in the sun

Je rêve
avec mon doudou
I dream with my bunny

tout chaud   tout chaud
tout chaud

so warm   so warm   so warm

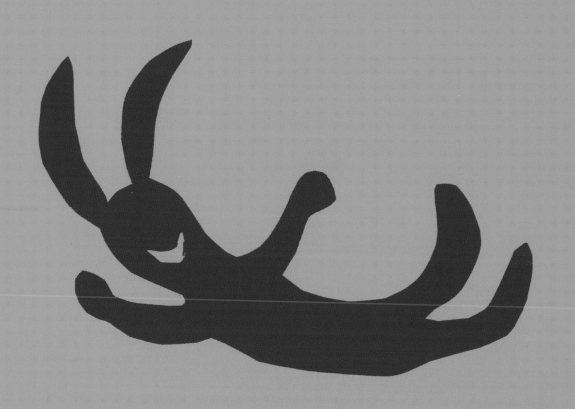

J'envoie à ceux que j'aime une pensée

I send a thought to the people I love

tendre tendre tendre

tender tender tender

Je suis comme un petit chat

I'm like a little kitten

qui dort qui dort qui dort

sleeping sleeping sleeping

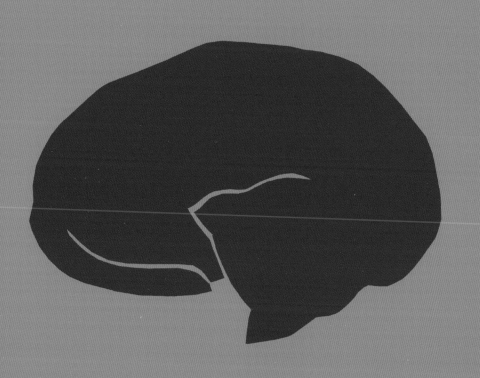

Chut !

Je suis arrivé
au pays du bien-être

Sh-h-h...

I've come to the land of well-
being

A tout à l'heure...

See you later...

Un album à lire et à vivre, seul ou ensemble

Avant de commencer, détendez-vous, respirez plusieurs fois doucement.
Installez-vous confortablement dans une ambiance calme.

Si vous offrez la lecture à un enfant, proposez-lui de s'allonger sur le dos,
de fermer les yeux et de visualiser les images. Il peut aussi ressentir le mouvement de ses mains
posées sur son ventre, qui montent et descendent légèrement avec la respiration.

Au moment de sortir de la relaxation, s'il en éprouve le besoin,
laissez-lui le temps de bailler, s'étirer, s'enrouler et se dérouler…

Vous pouvez aussi :
- utiliser une vraie cloche au son doux, une plume…
- lire au rythme de sa respiration, en ménageant des plages de silence
- regarder seulement une partie de l'album ou une seule image
- inventer une suite, d'autres images
- trouver vos propres façons de lire et vivre cet album.

A book to read and experience alone or all together

Before you begin, relax, breathe deeply and gently several times.
Make yourself comfortable in a calm place.

Il you offer this reading to a child,
suggest him to lie down on his back, close his eyes and imagine the pictures.
He can also place his hands on his stomach and fell the rise and fall of his own breathing.

When he leaves, give him time to yawn, stretch,
roll himself into a ball, unroll…

You can also :
- Ring a bell with a gentle sound, or use a feather,
- Read the text in rhythm with the child's breathing and leave long moments of silence,
- Only look at one part of the book, or one picture, at a time,
- Invent other images,
- Find original way of reading and experience this picture book.

Les éditions du Tilleul - Les Poitevinières - 61130 La Chapelle-Souëf
Site web : www.editionsdutilleul.fr
imprimé et broché en France en juin 2015 par / printed and bound in France, June, 2015 by :
Imprimerie Bellêmoise – Zone industrielle du Collège – 61130 Bellême

 IMPRIM'VERT®

ISBN 979-10-93914-01-5 • Dépôt légal : juin 2015
© Editions du Tilleul 2015
Conforme à la loi n°49-956 du 16 juillet 1949 sur les publications destinées à la jeunesse, juin 2015